d'après Enid Blyton

Le Monde des Sortilèges

Cet ouvrage a initialement paru en langue anglaise sous le titre :
The New Adventures of the Wishing-Chair: Spellworld,
2009, Enid Blyton.
© Hodder and Stoughton Ltd, 2013. Tous droits réservés.

© Hachette Livre 2013 pour la présente édition.

Traduit par Véronique Merland.

Conception graphique : Lorette Mayon.
Colorisation : Sandra Violeau.

Hachette Livre, 43, quai de Grenelle, 75015 Paris.

Le Fauteuil Magique

d'après **Enid Blyton**

Le Monde des Sortilèges

hachette JEUNESSE

Les personnages

Paul a 7 ans et, comme tous les enfants, il est très, très curieux. Partir en voyage dans un pays totalement inconnu ? Il n'hésite pas !

Julie est l'aînée : elle garde un œil sur son frère Paul et sur Fribolin, et elle a toujours de bonnes idées ! Cette aventurière ne reste pas en place... C'est parti !

Fribolin

Haut comme trois pommes,
avec de longues oreilles
pointues... Fribolin est
bien un lutin !
Son secret ?
Il connaît le fauteuil
magique par cœur...

Tim le magicien est
imprévisible. Il adore surgir
là où on ne l'attend pas !

Tim

Cornélia

Cornélia est une apprentie
sorcière très douée.
Demandez-lui tout
ce que vous voulez :
les sortilèges,
ça la connaît !

Prologue

Par la fenêtre de sa maison, Maud voit Paul et Julie jouer dans son jardin. La vieille dame sourit : ses deux petits voisins lui rappellent des souvenirs ! Elle aussi, elle passait beaucoup de temps avec son petit frère, et ensemble, ils ne s'ennuyaient jamais. Elle est contente que Paul et Julie s'entendent si bien : on s'amuse toujours plus quand on est plusieurs !

1. Des roses fanées

— Regarde, Julie ! dit Paul à sa sœur. Celle-ci a une bouche énorme !

— Elle a l'air d'avoir faim, commente Julie.

Elle jette une autre poignée de nourriture dans le bassin, et les grosses carpes qu'ils observent depuis un moment viennent la gober.

— Le jardin de Maud est vraiment merveilleux, n'est-ce pas ? poursuit Julie en regardant autour d'elle.

Le bassin de leur voisine se trouve au beau milieu d'un magnifique jardin verdoyant.

Paul hoche la tête en regardant les poissons rouges, blancs et noirs qui nagent paresseusement dans la petite fontaine en pierre.

— Je me demande si papa et maman seraient d'accord pour qu'on ait un bassin, nous aussi, s'interroge-t-il en regardant vers leur jardin par-dessus la haie. On pourrait le faire nous-mêmes. Ce serait chouette !

— Fribolin pourrait peut-être nous aider, dit Julie en lui lançant un clin d'œil. Mais alors en cachette, pendant la nuit !

Paul sourit. Leur ami Fribolin

9

le lutin vit dans la cabane au fond de leur jardin avec le fauteuil magique, qui leur a été offert par un magicien appelé l'Enchanteur. Personne ne doit *jamais* découvrir Fribolin ni les aventures fantastiques qu'ils vivent tous les trois quand le fauteuil magique les emmène en voyage. Même le père et la mère de Paul et Julie ne savent pas qu'un lutin vit dans leur jardin !

— Vous devez avoir bien soif ! lance Maud de la cuisine. Que diriez-vous d'un verre de limonade maison ?

— Avec plaisir, répond Julie.

Maud sort avec des verres sur un plateau.

— Vous devriez compter vos doigts pour voir s'ils sont tous là, plaisante-t-elle en servant la limonade. Mes poissons sont très gourmands !

Paul et Julie rient. *Maud n'est vraiment pas une vieille dame comme*

les autres, se dit Julie. Elle porte de longues jupes amples, des sandales brodées de perles et des colliers de pierres colorées. Elle passe son temps à rire et à raconter des blagues, même si Julie a remarqué que, ce matin, Maud n'est pas aussi joyeuse que d'habitude.

— Merci de m'aider à organiser ma fête annuelle, dit Maud avec reconnaissance. Dites-moi, est-ce que vous vous plaisez ici, à Nulpar, tous les deux ?

— On a mis un peu de temps à s'y habituer, répond Paul en se rappelant combien lui et Julie s'ennuyaient avant de rencontrer Fribolin. Mais maintenant on y est très heureux !

Il avale une gorgée de limonade.

— Elle est délicieuse ! Tu en serviras à ta fête, demain ?

Le visage de Maud s'assombrit.

— Tout va bien ? lui demande Julie avec hésitation. Tu as l'air un peu triste.

La vieille dame soupire, et un éclair d'inquiétude passe dans ses yeux bleus d'habitude si pétillants.

— Ce sont mes roses, dit-elle. Venez voir.

Paul et Julie la suivent jusqu'à une plate-bande de rosiers.

— Elles sont toujours magnifiques en cette saison, dit-elle tristement. C'est en partie pour ça que j'organise une grande fête chaque année dans mon jardin.

Paul et Julie hochent la tête. Ils ont été invités, tout comme leurs parents.

— Mais mes fleurs sont en train de mourir, soupire Maud. J'ai tout essayé pour les soigner, mais rien n'a fonctionné.

— C'est vrai qu'elles ont l'air mal en point, admet Julie en regardant les roses rouges, blanches et roses. Leurs pétales tombent et leurs feuilles sont tachées de marron.

— Je vais devoir donner ma fête sans mes merveilleuses roses, dit Maud tristement.

— Tout le monde va bien

s'amuser quand même, surtout avec tous les gâteaux que tu as préparés, remarque Paul.

Maud hoche la tête, un peu rassurée.

Paul et Julie finissent leur limonade, disent au revoir à Maud puis filent vers la cabane de leur jardin.

— Je voudrais bien faire quelque chose pour aider Maud, confie Paul.

Ils arrivent devant la porte de la cabane.

— Peut-être que Fribolin aura une idée, lui répond Julie.

Lorsqu'ils entrent, Fribolin est occupé à épousseter la pièce. Il a l'air très content de les voir, et un grand sourire illumine son visage. Le fauteuil magique est posé dans un coin, et les images colorées qui le décorent scintillent à la lumière.

— Fribolin, on a besoin de ton aide! annonce Paul.

Il lui explique rapidement ce qui arrive aux roses de Maud.

Le lutin se gratte le menton.

— Eh bien, lorsque l'Enchanteur avait un problème avec

ses roses, il utilisait toujours un sortilège de Guéris-Bien.

— Est-ce qu'on pourrait apprendre ce sortilège pour Maud? demande aussitôt Julie.

— Bien sûr! On va demander au fauteuil magique de nous

emmener dans le Monde des Sortilèges, répond Fribolin. Et lorsqu'on y sera, on attrapera ce sortilège avec un filet!

— Le Monde des Sortilèges, répète Paul, les yeux écarquillés. Qu'est-ce que c'est?

— Le Monde des Sortilèges est le pays des apprenties sorcières, explique Fribolin. Les élèves passent toutes leurs journées à préparer des sortilèges dans leur chaudron. Parfois, ces sortilèges s'échappent par la fenêtre et flottent dans l'air comme des nuages, jusqu'à ce que quelqu'un les attrape et les utilise.

— Quelqu'un comme nous! s'exclame Julie en frappant dans ses mains d'un air réjoui. Et comment on reconnaît les différents sortilèges?

— Tout d'abord, il faut trouver un sortilège de la bonne couleur, puis il faut le goûter. Mais une toute petite bouchée, parce que lorsqu'on ne connaît pas encore le sortilège, tout peut arriver!

— Allons-y tout de suite! s'écrie Paul en s'élançant vers le fauteuil magique.

— On devrait bien s'amuser, dit Fribolin tandis que lui, Paul et Julie s'y installent. Ça fait des années que je n'ai pas fait la chasse aux sortilèges.

Ils font tous les trois balancer le fauteuil magique d'avant en arrière. Des étincelles bleues crépitent autour des pieds en bois.

— Emmène-nous dans le Monde des Sortilèges ! lance Julie au troisième balancement.

2. Le magasin magique

Un éclair de lumière bleue les aveugle tandis que le fauteuil magique s'élève et tourne dans les airs. Puis, presque immédiatement, Paul et Julie sentent qu'ils retombent sur le sol. Julie cligne des yeux tandis que la lumière se

dissipe. Elle se tient sur quelque chose qui s'agite…

— Julie, pousse-toi! s'exclame Paul. Tu es assise sur moi.

— Et vous, vous êtes tous les deux sur moi! gémit Fribolin au-dessous d'eux.

— Pardon!

Julie saute sur ses pieds. Tandis que Paul et Fribolin se relèvent aussi, elle voit que le fauteuil magique s'est changé en un petit tabouret d'argent.

Paul regarde autour de lui. Ils sont dans un vieux bâtiment, entourés d'étagères remplies de toutes sortes d'objets. Il y a par exemple des lunettes de soleil incrustées de perles et des jumelles en argent.

— Qu'est-ce que c'est que cet endroit ? demande-t-il.

— Je pense que c'est un magasin, répond Julie.

Elle montre l'étagère la plus proche d'elle, sur laquelle sont posés des dizaines de petits tabourets en argent.

— Le fauteuil magique s'est déguisé pour passer inaperçu ! Malin, non ?

Paul prend l'un des tabourets sur l'étagère. Une étiquette dorée est attachée à son pied.

— « Fabriqué par Stella la sorcière », lit Paul tout haut. « Surprise ensorcelante incluse ! »

Je me demande quelle est cette surprise ! s'interroge-t-il en riant.

— Le fauteuil magique porte aussi une étiquette, remarque Fribolin.

Julie lit l'inscription qui s'y trouve.

— « Ce tabouret appartient à Paul et Julie. Alors ôtez-en vos grosses pattes ! »

— Le fauteuil magique vous aime vraiment beaucoup, observe Fribolin en souriant. Il ne veut pas appartenir à quelqu'un d'autre.

Le lutin regarde par-dessus son épaule.

— On a de la chance que personne ne nous ait vus arriver. Il y a toujours beaucoup de monde ici.

— Où on se trouve, Fribolin ? demande Julie.

— Dans un magasin appelé

« Le Bazar aux Sortilèges », explique le lutin. On y trouve tout ce qu'il faut pour passer un séjour palpitant dans le Monde des Sortilèges.

— Comme ces jumelles ! ajoute Paul en se dirigeant vers une étagère.

— Ce ne sont pas n'importe quelles jumelles, explique Fribolin. Elles servent à voir les étoiles filantes !

Paul les met devant ses yeux et pousse un cri de stupeur. Tout autour de lui, des étoiles argentées tombent vers le sol. Tandis qu'il les observe, deux d'entre elles viennent se déposer sur le ruban rose des cheveux de Julie. Mais sa sœur ne semble pas les remarquer ! Paul baisse les jumelles, et les étoiles disparaissent.

— Suivez-moi, annonce Fribolin en plaçant le fauteuil magique à côté des autres tabourets. Les filets à attraper les sortilèges sont rangés dans l'allée numéro 8.

L'allée 8 du magasin est celle où règne le plus d'agitation. Paul et Julie y jettent un coup d'œil et voient de nombreux lutins, elfes, centaures et griffons s'affairer autour des étagères. Des fées aux ailes étincelantes les survolent, et dans la foule, on aperçoit aussi de jeunes sorcières portant de longues capes noires. Chacun essaie d'attraper l'un des filets à sortilèges.

— Ça ressemble beaucoup à nos filets de pêche! observe Paul.

Ceux qu'on prend pour aller à la plage de Nulpar…

— … sauf que les nôtres ne sont pas dorés et argentés ! remarque Julie.

Les trois amis progressent lentement au milieu de la foule, jusqu'à ce qu'ils parviennent enfin à atteindre les étagères. Ils choisissent des filets dorés aux manches argentés et viennent se ranger dans la file d'attente de la caisse.

Julie s'apprête à demander à Fribolin comment ils vont payer lorsqu'elle entend une voix familière devant eux.

— Excusez-moi, ça fait des heures que j'attends...

Julie se hisse sur la pointe des pieds pour regarder par-dessus les têtes alignées devant elle.

— Est-ce que vous vendez des Roses Arc-en-Ciel? continue la voix.

À l'avant de la file, Julie aperçoit un jeune homme aux cheveux roux. Il porte un chapeau vert et pointu.

— C'est Tim le magicien! chuchote Julie à Fribolin et à Paul. Alors lui, j'ai un ou deux mots à lui dire!

3. Tim cherche quelque chose

— Tim le magicien? demande Paul. Celui qui nous a donné de la fausse poudre d'invisibilité et qui a rendu malade tout un village de créatures magiques?

— Il trouve peut-être drôle de jouer des tours aux autres, dit

Julie, mais moi, ça ne me fait pas rire !

Le marchand ailé répond à Tim d'un ton impatient :

— Vous devriez le savoir : les Roses Arc-en-Ciel ne se trouvent que dans des boutiques spéciales.

Il lui montre la sortie, au fond du magasin.

— Si vous en voulez vraiment une, vous feriez mieux d'aller la chercher dehors pendant qu'il pleut encore et avant que le dernier arc-en-ciel disparaisse. Suivant !

Tim s'en va en traînant les pieds, dépité. En s'approchant

de la porte, il aperçoit Paul, Julie et Fribolin dans la file d'attente.

— Bonjour ! dit Tim avec un large sourire. Heureux de vous revoir !

Paul, Julie et Fribolin le regardent d'un air méfiant.

— Oh, je vois que vous m'en voulez encore pour la fausse poudre d'invisibilité…

Il prend un air penaud.

— Je suis désolé, c'était juste une blague !

— Et ces chocolats qui ont rendu tout le monde malade au Pays des Créatures Imaginaires ? demande Julie d'un air fâché. Ça aussi, c'était une blague ?

Tim rougit.

— Je ne savais pas que ces chocolats allaient rendre les créatures malades, explique-t-il. Je pensais qu'ils allaient juste leur donner le hoquet.

Il leur tend la main en souriant.

— Amis ? demande-t-il.

Paul, Julie et Fribolin se regardent à tour de rôle. Puis

tous les trois hochent la tête, un peu plus confiants.

— Amis, dit Paul en serrant la main de Tim.

— Mais plus de mauvaises blagues ! avertit Julie d'une voix sévère.

— D'accord, promet Tim.

Il les regarde avec curiosité.

— Qu'est-ce que vous faites dans le Monde des Sortilèges, vous trois ?

— On cherche un Sortilège de Guéris-Bien, explique Fribolin.

— Et moi, je voudrais une Rose Arc-en-Ciel, soupire Tim. Mais ils n'en ont pas.

— C'est quoi, une Rose Arc-en-Ciel ? demande Paul avec intérêt.

— C'est un ingrédient magique extrêmement puissant, répond le magicien. Un seul pétale peut décupler les pouvoirs

40

d'un sortilège! Mais ces roses sont très difficiles à trouver.

Il fronce les sourcils, soucieux, et ajoute :

— Je ferais mieux d'y aller.

— Eh bien, bonne chance! lui dit Julie tandis qu'ils arrivent à l'avant de la file.

— Bonne chance à vous aussi! lance Tim.

Puis il s'éloigne en sifflotant.

— Bien, dit le marchand en les regardant par-dessus ses lunettes. Comment allez-vous payer vos filets ?

Paul sort quelques pièces de sa poche.

Le marchand secoue la tête
et désigne le ruban dans les
cheveux de Julie.

— Je prendrai plutôt ça !

— D'accord, accepte Julie en
souriant, et elle le lui tend. J'en
ai plein d'autres à la maison !

Puis, leurs filets à la main, ils se

dépêchent de sortir du magasin et arrivent sur une place de village décorée de mille couleurs. Il pleut toujours, mais Paul voit bien que les gouttes de pluie sont différentes de celles qu'ils ont l'habitude de voir.

— Regardez ces couleurs! s'exclame Julie tout éblouie. C'est comme si on était dans un arc-en-ciel!

Au-dessus d'eux, des nuages multicolores passent dans le ciel, et d'immenses arcs-en-ciel les transpercent de-ci de-là.

— C'est étrange, la pluie ne mouille pas du tout, ajoute Paul.

Julie tend la main pour recueillir quelques-unes des gouttes étincelantes.

Au lieu d'être humides, elles sont sèches et la chatouillent comme des plumes. Julie voit que chaque goutte contient de minuscules arcs-en-ciel aux teintes vives : rouge, jaune, orange, indigo, bleu, vert et violet.

— Ces nuages, ce sont les sortilèges, explique Fribolin en montrant le ciel. Vous voyez comme tout le monde saute dans tous les sens avec son filet pour essayer d'en attraper ?

Paul et Julie regardent tout le monde faire des bonds en l'air pour tenter de capturer un sortilège dans son filet. Un frisson d'impatience parcourt chaque habitant de ce curieux monde. Les enfants ont tellement hâte de se joindre à eux et d'en attraper, eux aussi !

4. Des nuages étonnants

— De quelle couleur est le sortilège de Guéris-Bien ? demande Julie à Fribolin.

— Bleu, répond le lutin.

— Mais il y a beaucoup de nuages bleus ! s'exclame Paul, découragé.

Les teintes de bleu vont du turquoise à l'indigo.

— Comment savoir lequel est le bon ?

Fribolin se gratte la tête.

— Je crois qu'on va devoir tous les goûter, dit-il. Et si je me souviens bien, notre sortilège a un goût de cassis.

— Miam ! s'exclame Julie. Mais est-ce qu'il n'est pas dangereux d'en goûter plein avec des effets différents ?

— Tant que vous n'en prenez qu'un tout petit peu, le sortilège ne durera pas longtemps, la rassure Fribolin.

Paul, Julie et Fribolin remarquent quelques nuages bleus s'étirant au-dessus d'eux et sautent pour les attraper. Mais Julie se rend bien vite compte que la chasse aux sortilèges est plus difficile qu'elle n'y paraît. Les nuages glissent dans tous les sens, et certains sont très haut. Fribolin y arrive bien mieux et, au troisième coup, attrape un nuage bleu ciel dans son filet.

— On dirait de la barbe à papa bleue, dit Paul, tandis que Fribolin en prend une petite bouchée.

— Celle-ci a un goût de pomme… commente le lutin.

Une petite bouffée de fumée colorée s'élève, puis Fribolin disparaît pour laisser place à une grenouille qui lève les yeux vers Paul et Julie.

— Croaa ! fait la grenouille.

Les enfants éclatent de rire. La grenouille disparaît dans un autre nuage de fumée, et Fribolin réapparaît. Il secoue la tête.

— Je suis content que ça n'ait pas duré trop longtemps.

Puis les trois amis se remettent à sauter en tous sens avec leurs filets.

— Je t'ai eu ! s'exclame joyeusement Paul en attrapant un petit nuage bleu saphir.

Il en croque un petit bout cotonneux et se sent tout à coup devenir très grand.

— Que se passe-t-il ? demande-t-il d'une voix grave.

— Paul, tu es devenu adulte ! glousse Julie. Tu ressembles à papa !

Elle croque un morceau du même nuage et se sent grandir aussi.

— Et toi, maintenant, tu ressembles à maman ! rétorque Paul en lui tirant malicieusement la langue.

Juste au moment où Paul et Julie se mettent à rétrécir pour retrouver leur taille normale, ils doivent baisser la tête car Fribolin passe au-dessus d'eux dans un immense bond.

— J'ai trouvé un sortilège de

bondissement ! lance le lutin en tenant son filet en l'air pour leur montrer un nuage bleu azur. C'est plus facile ainsi pour attraper les autres sortilèges !

Paul et Julie se précipitent pour venir prendre de petites bouchées du nuage de Fribolin.

— Waouh, regardez-moi ! crie Paul en s'élevant vers le ciel.

Émerveillée, Julie fait un petit bond qui la propulse, elle aussi, comme une fusée.

Elle entend Fribolin les avertir :

— N'attrapez pas les sortilèges qui volent vraiment très haut ! Ils sont plus légers que les autres

53

parce qu'ils ne sont pas finis. Ils peuvent être très imprévisibles !

Paul revient au sol, puis pousse de nouveau sur ses jambes et monte très haut en l'air. Il voit un nuage bleu marine qu'il capture vite avant de redescendre.

— Regarde ! dit-il gaiement à Fribolin. J'ai un nouveau nuage ! C'est peut-être un sortilège de Guéris-Bien !

— Est-ce que tu as entendu ce que j'ai dit sur les sortilèges qui ne sont pas finis ? répète son ami en se rapprochant du sol.

Mais Julie voit que son frère n'écoute pas. Paul se met à

grignoter le nuage bleu marine avant que Fribolin ait le temps de l'en empêcher.

— Pouah ! fait le garçon en grimaçant. Il a un goût très amer. Oh oh ! Mais…

À son grand désarroi, Paul se sent gonfler comme un ballon de plage. Et il s'envole dans les airs !

— Paul ! appelle Julie. Reviens !

Elle attrape son frère par la jambe pour le tirer vers le bas, mais la voilà qui décolle du sol à son tour. Elle jette un regard désespéré à Fribolin, qui a l'air horrifié. Le vent les propulse tous les deux toujours plus haut, à travers la multitude d'arcs-en-ciel miniatures.

— Au secours ! hurlent Paul et Julie.

5. La Rose
Arc-en-Ciel

— Tenez bon! lance Fribolin depuis la terre.

Paul regarde vers le sol et voit le lutin prendre un nouveau morceau de sortilège de bondissement. Il s'élance ensuite vers eux.

En quelques instants, Paul et Julie se sont éloignés de la place du village et flottent au-dessus de champs verdoyants.

— Fribolin, on reste toujours ensorcelés ! crie Julie.

— Ce doit être un sortilège inachevé, répond Fribolin en bondissant jusqu'à eux. Je vous avais prévenus qu'ils étaient imprévisibles !

Julie tremble de peur, tandis qu'elle et son frère continuent de monter. Ses bras commencent à lui faire mal à force de s'accrocher à la jambe de Paul.

— J'espère qu'on ne va pas

se perdre, lance-t-elle d'un air inquiet. Et que se passera-t-il si le sortilège de Fribolin s'arrête et qu'il n'arrive pas à nous suivre ?

Ils sont vraiment très haut dans le ciel, maintenant. Apeuré, Paul regarde vers le bas. Près d'un champ, une fleur étincelante attire son regard. Même à cette distance, Paul voit qu'elle resplendit de mille couleurs.

— J'aperçois quelqu'un ! s'exclame tout à coup Julie.

Sous leurs pieds, une jeune sorcière vêtue d'une cape et d'un chapeau pointu scrute le sol à l'aide d'une loupe. Fribolin bondit de nouveau jusqu'à eux.

— Regarde, il y a une sorcière ! lui dit Julie en la désignant.

— Peut-être qu'elle peut nous aider ! s'exclame Paul.

— Crions tous en chœur pour attirer son attention, suggère Fribolin.

— Au secours ! répètent-ils ensemble.

La sorcière lève les yeux vers eux. Aussitôt, elle saisit son balai posé sur l'herbe, grimpe dessus, puis les rejoint en voltigeant.

— Sortilège inachevé ! lui crie Fribolin en montrant Paul, avant de redescendre vers le sol.

— Vous pouvez faire quelque

chose ? demande Julie d'un air désespéré.

— Je vais essayer !

La sorcière prend de la poudre violette dans une petite bourse en cuir accrochée à sa ceinture et souffle dessus en direction de Paul. Instantanément, il reprend sa taille normale… Julie et lui tombent alors comme des pierres !

Julie hurle en voyant le sol se rapprocher de plus en plus vite ! Aussi rapide que l'éclair, la sorcière s'élance vers les enfants et les rattrape sur son balai. Tout tremblants, ils s'agrippent au

manche en bois tandis que la sorcière redescend doucement et se
pose sur l'herbe.

Fribolin les rejoint en courant.
— Merci ! s'exclament les trois
amis en chœur.

— Il n'y a pas de quoi ! répond aimablement la sorcière. J'ai utilisé de la poudre d'annulation. C'est très utile quand un sortilège tourne mal ! Je m'appelle Cornélia, ajoute-t-elle.

— Moi, c'est Julie, et voici Paul et Fribolin.

Fribolin désigne la loupe attachée par une petite chaîne au poignet de Cornélia.

— Qu'est-ce que tu cherches ? demande-t-il. On sera ravis de t'aider, si on le peut.

— Je cherche une Rose Arc-en-Ciel. J'ai un examen très important à l'école dans quelques jours, et elle est indispensable à l'un de mes sortilèges !

— Oh ! s'exclame Paul. J'ai vu quelque chose qui ressemblait à une fleur étrange quand j'étais en l'air. Ses pétales étaient tous de couleurs différentes !

— Voilà qui ressemble bien à une Rose Arc-en-Ciel ! se réjouit Cornélia. Où était-elle, Paul ?

Paul pointe du doigt l'autre côté de la prairie.

— Allons vite voir ! s'écrie l'apprentie sorcière.

Ils s'élancent à travers champ. Mais soudain, Fribolin pousse un cri.

— Oh, non ! Voilà Tim !...

— ... et il se dirige droit sur la rose, lui aussi ! gémit Julie.

6. Sorcière contre magicien !

D'un geste vif, Cornélia tend son balai à Fribolin et s'élance à grands pas, laissant derrière elle Julie, Paul et le lutin.

— Waouh ! Je savais que les sorcières étaient rapides, mais Cornélia court vraiment *très* vite !

halète Fribolin tandis qu'ils se dépêchent de la suivre.

— On dirait qu'elle va atteindre la rose avant Tim ! souffle Paul.

Cornélia s'apprête à passer près d'un grand chêne, qui se met tout à coup à trembler violemment, sans qu'il y ait du vent. Une pluie de glands s'abat sur le sol devant la sorcière.

— Cornélia, attention ! crie Julie.

Mais il est trop tard : la sorcière marche sur les glands, glisse, et la voilà qui tombe par terre ! Paul jette un coup d'œil vers Tim. Il est sûr d'avoir vu le magicien

cacher une baguette verte sous
sa cape, sans cesser de courir vers
la Rose Arc-en-Ciel.

— C'est Tim qui a fait tomber
les glands de l'arbre ! dit Paul.

Lui et Julie rejoignent Cornélia pour l'aider à se relever.

— Oh, ce n'est pas juste ! s'exclame la sorcière en reprenant sa course.

— Dépêche-toi, Cornélia ! l'encourage Julie.

Quelques secondes plus tard, Tim arrive à l'endroit où Paul a vu la fleur multicolore. Mais Cornélia y parvient exactement au même moment ! Ils sont nez à nez, et se défient du regard.

— Elle est à moi ! déclare Tim. J'étais là le premier !

— Ce n'est pas vrai ! rétorque Cornélia. Tu m'as joué un tour !

Fribolin, Paul et Julie les rattrapent. Julie baisse les yeux

pour observer la magnifique rose
aux pétales soyeux.

— Le seul moyen de régler ça
est de faire un concours de devi-
nettes, dit fermement Fribolin.
La rose est à celui qui gagne.

— Eh bien, c'est moi qui suis arrivé le premier, et c'est moi le plus intelligent de tous. C'est donc à moi de choisir la devinette, affirme Tim d'un ton boudeur. Si aucun d'entre vous n'arrive à répondre à cette devinette très facile, alors la rose sera à moi. D'accord ?

— Ce n'est pas toi qui es arrivé le premier, et tu n'es certainement pas plus intelligent que moi, réplique Cornélia. Mais nous allons tout de même répondre à ta fameuse devinette.

Tim la regarde d'un air de défi.

— La voilà : quelle est la différence entre *toi* et *moi* ? demande-t-il.

Julie fronce les sourcils. Tim et Cornélia sont tellement différents ! Cette devinette est facile. Trop facile !

Elle sait à quel point Tim est farceur. Il doit y avoir une astuce !

Soudain, la bonne réponse lui saute aux yeux.

— La première lettre ! s'écrie-t-elle. Voilà la seule différence entre les mots « toi » et « moi » ! L'un commence par « t », l'autre par « m ».

Tim, très déçu, en perd le sourire.

— Bien joué, Julie ! s'exclame Paul, ravi.

Julie cueille délicatement la belle rose et la tend à Cornélia.

— Je crois que ceci t'appartient.

— J'aurai ma revanche ! menace Tim en colère.

Puis il tourne les talons en poussant un grand soupir.

7. Le sortilège de Guéris-Bien

Lorsque le magicien s'est éloigné, Cornélia rassure ses trois amis : tout le monde sait que Tim est plus bête que méchant ! La jeune sorcière enveloppe la rose avec précaution dans un mouchoir.

— Merci beaucoup à vous. Voulez-vous venir prendre le thé avec moi à l'école de sorcellerie ?

— Désolé, mais on ne peut pas, dit Paul. On doit trouver un sortilège de Guéris-Bien et rentrer chez nous aussi vite que possible.

— C'est votre jour de chance ! Je viens justement de fabriquer ce sortilège-là ce matin ! s'exclame Cornélia.

Elle tire un petit flacon bleu de sa poche et le tend à Julie.

— Au revoir, alors, dit-elle. Revenez bientôt me voir dans le Monde des Sortilèges !

— On reviendra, promet Fribolin. À bientôt, Cornélia ! Et merci !

Paul, Julie et Fribolin reprennent vite le chemin du Bazar aux Sortilèges. Le fauteuil est là où ils l'ont laissé, parmi les autres tabourets en argent.

— Montre-toi ! murmure Paul.

Dans un nuage de fumée bleue, le tabouret reprend sa forme de fauteuil magique. Julie, Paul et Fribolin s'y assoient.

— À la maison ! ordonne Julie tandis qu'ils se balancent en s'agrippant aux accoudoirs.

Des étincelles crépitent autour du fauteuil. En un éclair, les voilà de retour dans la petite cabane, au fond de leur jardin.

— Quelle aventure ! s'exclame Paul. Mais comment va-t-on utiliser le sortilège de Guéris-Bien sur les roses de Maud sans qu'elle le sache ?

Julie jette un coup d'œil par la fenêtre de la cabane. Maud est en train d'installer des chaises sur sa pelouse, en prévision de la fête.

— Allons lui proposer de l'aide, décide-t-elle. On attendra le bon moment pour utiliser le sort.

— J'aimerais vous aider, mais je dois rester ici, soupire Fribolin. Il ne faut pas qu'elle me voie !

Les enfants quittent la cabane et rejoignent leur voisine.

— C'est très gentil à vous de venir m'aider deux fois dans la même journée ! s'exclame Maud. J'ai encore quelques chaises à sortir dans le jardin.

79

— Je t'accompagne ! annonce Paul.

Julie reste dehors tandis que son petit frère suit Maud dans la maison. Puis elle débouche le petit flacon bleu pour verser son contenu sur les rosiers. Les gouttes de potion pétillent légèrement en tombant sur les pétales, puis s'évaporent.

Paul ressort bientôt, une chaise entre les bras.

— Tu as utilisé le sortilège ? murmure-t-il.

Julie acquiesce.

— J'espère que ça marchera. On verra bien demain…

Le lendemain, les enfants se réveillent de bonne heure. Ils sortent en courant et traversent le jardin pour aller voir les roses par-dessus la haie.

— Regarde, Julie ! s'écrie Paul. Le sortilège a fonctionné !

Incroyable ! Les fleurs sont redevenues éclatantes, et leurs feuilles sont bien vertes et en pleine santé. Maud est dans sa cuisine et fait signe à Paul et à Julie, penchée à sa fenêtre.

— Vous avez vu mes roses ? Elles sont à nouveau magnifiques, n'est-ce pas ? dit-elle avec un large

sourire. J'arrive ! J'ai préparé des gâteaux aux myrtilles pour fêter ça !

— Miam ! s'exclame Julie en voyant Maud sortir, une assiette à la main. Trois gâteaux !

— C'est pour vous remercier de m'avoir aidée hier, explique Maud. Il y en a un pour toi, un pour Paul… et un pour votre petit compagnon au chapeau vert, qui vit dans la cabane !

Paul et Julie se regardent, stupéfaits. Comment Maud est-elle au courant pour Fribolin ?

8. Le secret de Maud

— Ne soyez pas inquiets comme ça! s'exclame Maud. Je vous promets de ne rien dire à personne. Je garderai le secret!

Elle fixe Paul et Julie de ses yeux bleus pétillants.

— D'ailleurs, vous seriez

sûrement intéressés d'apprendre que, quand j'étais une petite fille, mon frère Pierre et moi avions aussi un ami, qui se cachait dans notre salle de jeux !

— Tu veux dire… comme Fribolin ? demande Julie, ébahie.

Maud hoche la tête.

— Et nous avions un fauteuil magique, ajoute-t-elle d'un air rêveur. Il avait des ailes, et il nous conduisait ensemble vers des pays merveilleux où on vivait des aventures passionnantes !

Paul et Julie n'en croient pas leurs oreilles.

— N... nous aussi, on a un fau... fauteuil magique ! balbutie Paul, abasourdi. Mais il n'a pas d'ailes, il a des bascules...

— Paul ! l'interrompt alors Julie. Tu te souviens de ce que Fribolin nous a raconté, à propos du fauteuil magique ?

L'Enchanteur avait mis des bascules dessus parce que ses ailes étaient abîmées !

— Eh bien, dit Maud, captivée par les paroles de Julie, ça pourrait bien être le même fauteuil magique. Et je suis justement venue habiter dans la maison voisine ! Comme c'est étrange…

Elle adresse un grand sourire à Paul et à Julie.

— Mais la magie est pleine de mystères, non ? Alors je suis heureuse que vous et votre nouvel ami partagiez toutes ces belles aventures !

Paul et Julie l'écoutent, ravis.

Au même moment, leur mère les appelle depuis la cuisine.

— Paul ! Julie ! Nous partons faire les courses dans dix minutes !

— On doit y aller, Maud, s'excuse Julie. Mais on se retrouvera tout à l'heure, pour la fête.

— N'oubliez pas de donner le gâteau à Fribolin, rappelle leur

voisine en tendant l'assiette par-dessus la haie. Et je vous invite-rai bientôt à venir chez moi tous les trois, pour vous raconter mes vieilles aventures avec le fauteuil magique !

— Vite, Paul, allons retrou-ver Fribolin ! dit Julie tandis que Maud rentre chez elle. J'ai hâte de lui apprendre que le fauteuil magique appartenait autrefois à notre voisine !

— Et moi, j'ai hâte d'entendre les histoires de Maud, ajoute Paul. Et surtout… j'ai hâte de savoir où le fauteuil magique nous emmènera, la prochaine fois !

N'attends plus !

Rejoins tous tes héros
sur leur site :

www.bibliotheque-rose.com

Les as-tu tous lus ?

L'île aux surprises

La licorne disparue

Grimpe sur le fauteuil magique...
pour vivre une nouvelle aventure !

Le Fauteuil Magique

d'après **Enid Blyton**

Le concours des géants

Quoi de plus effrayant qu'un monde où tout
est gigantesque ? Julie et Paul sont prudents,
mais ils sont aussi curieux... très curieux !
Grâce au fauteuil magique, ils découvrent
la Cité des Géants et rencontrent Olga.
La jeune géante a un rêve : remporter le grand
concours de la fête organisée par sa ville...

Table

PAPIER À BASE DE
FIBRES CERTIFIÉES

⊟hachette s'engage pour
l'environnement en réduisant
l'empreinte carbone de ses livres.
Celle de cet exemplaire est de :
400 g éq. CO_2
Rendez-vous sur
www.hachette-durable.fr

Photogravure **Nord Compo** - Villeneuve d'Ascq

Imprimé en Roumanie par G. Canale & C. S.A.
Dépôt légal : mars 2013
Achevé d'imprimer : mars 2013
20.2633.4/01 – ISBN 978-2-01-202633-9
Loi n° 49956 du 16 juillet 1949
sur les publications destinées à la jeunesse